후한(後漢)의 세력 변화

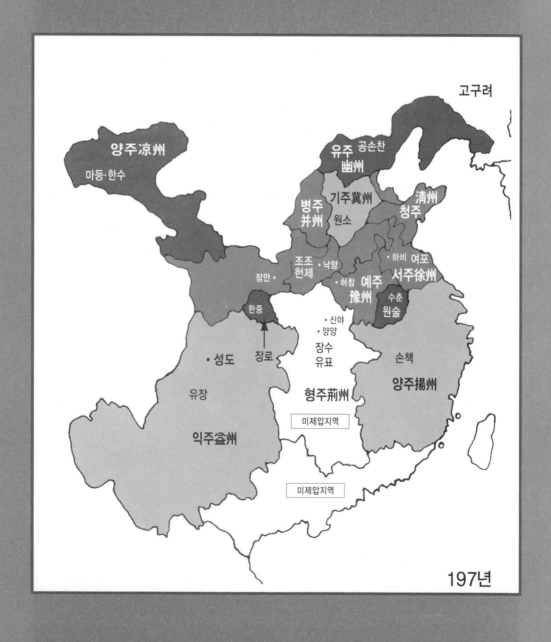

고구려

양주凉州

마등·한수

유주 공손찬
幽州

기주冀州
원소

병주
井州

청주
淸州

조조 ·낙양
헌제

서주徐州

·하비 여포

장안·

·허창 예주
豫州

한중

수춘
원술

·신야
·양양

장로

·성도

장수
유표

손책

유장

형주荊州

양주揚州

미제압지역

익주益州

미제압지역

197년

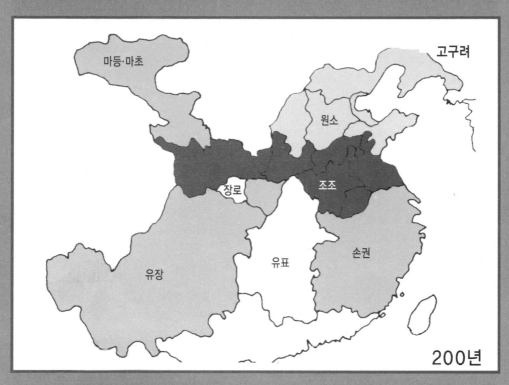

마등·마초

고구려

원소

장로

조조

유장

유표

손권

200년

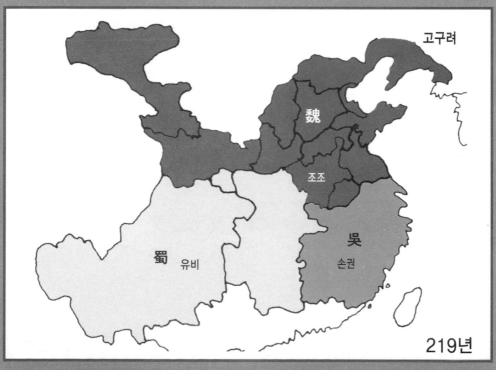

고구려

魏

조조

蜀 유비

吳
손권

219년

LEARNING ENGLISH THROUGH COMICS

만화를 보면서 배우는 영어

ROMANCE OF THE THREE KINGDOMS

三國志

LEARNING ENGLISH THROUGH COMICS

ROMANCE OF THE THREE KINGDOMS

BY Asiapac Books PTE LTD. and 21st C.E.T.A.

Copyright © 2000 by 21st C.E.T.A.
Translation copyright © 2000 by ez-book
Korean-English Version Rights arranged with Asiapac Books PTE LTD.
through 21st C.E.T.A.

초판 1쇄 발행일 · 2000년 11월 25일
초판 3쇄 발행일 · 2000년 12월 18일

아시아팩 · 21세기영어교육연구회 공저
펴낸이 · 김동영
펴낸곳 · 이지북

출판등록 2000년 11월 9일 제10-2068호
121-200 서울시 마포구 동교동 165-8 LG 팰리스 빌딩 1719호
Tel : (02)324-2347,9 Fax : (02)324-2348
e-mail : 나우누리, 천리안 · jamo7, 하이텔 · jamo

ISBN 89-89422-07-8 04740
ISBN 89-89422-01-9(Set)

값 6,000원

LEARNING ENGLISH THROUGH COMICS

만화를 보면서 배우는 영어

ROMANCE OF THE THREE KINGDOMS

三國志

6

이지북
ez-book

만화는 청소년들에게 즐거움을 주면서 교육을 시킬 수 있는 매우 훌륭한 매체이며, 대부분의 만화는 건전한 즐거움을 주고 있다. 그러나 최근에는 폭력적이고 선정적인 만화가 많아 감수성이 예민한 청소년들에게 큰 영향을 미치고 있다는 점에서 심각한 문제가 되고 있다. 국내에 들어온 일본 만화의 인기가 급증하면서 spill-over(국경 범람 현상)가 이미 심각한 지경에 와 있다. 이러한 일본 만화는 불필요하게 폭력적이고 선정적이어서 한국 사회에 부정적인 영향을 미치고 있다. 일본과의 역사적인 관계 때문에, 한국의 대다수 국민들은 무분별한 왜색 문화의 모방을 우려하고 있다. 일본 문화 자체에 관해서 아는 것이 나쁠 것은 없지만, 일본 만화의 한국 만화 시장의 잠식은 건전한 만화 시장의 불균형을 초래할 뿐만 아니라, 한국인의 정체성을 왜곡시킬 수도 있다. 청소년들이 일본 만화에 심취하는 데는 건전하고 재미있게 읽을 수 있는 한국 만화가 없다는 점에도 그 원인이 있다.

따라서 본 〈21세기영어교육연구회〉 소속 현직 고등학교 영어 교사들은 한국의 젊은이들에게 왜색 문화를 벗어나 건전한 욕구와 용기와 포부를 길러주고, 지혜와 사려를 깊게 하는『만화를 보면서 배우는 영어 삼국지』를 Singapore의 ASIAPAC BOOKS 출판사와 정식으로 국제 계약을 맺어 총 20권으로 번역 출판하기로 결정했다.

『삼국지(三國志)』의 방대한 분량을 만화 20권으로는 내용 전달이 완벽하지는 못하겠지만, 독자들에게 지루함을 주지 않고 전체 맥락을 이해하는 데는 많은 도움이 되리라 생각한다. 또한 본『만화를 보면서 배우는 영어 삼국지』20권을 독파함으로써, 기본 필수 영어 회화에 관한 내용들도 다 소화할 수 있으리라 본다.

부언하면, 이 책이 젊은이들에게 항상 참다운 용기와 정의가 무엇인지를 일깨우고, 번쩍이는 지혜와 사고(思考)를 길러주는 생(生)의 길잡이가 될 것으로 믿어 의심치 않는다. 예컨대,『삼국지』는 우리들에게 인간의 도리가 무엇이며 은혜를 어떻게 갚아야 되며, 정도(正道)를 가지 않고 권모술수(權謀術數)만 쓰는 사람의 말로가 어떤지를 가르쳐 준다. 이 각박한 세상에서 한국의 젊은이들이 본서를 통해 삶의 지혜를 얻는다면 더 이상 바랄 것이 없겠다.

『삼국지』는 그만큼 세월을 초월해서 영원히 새로운 책이라 할 수 있을 것이다. 다만 그 양과 내용이 너무 방대하여 청소년들이 쉽게 흥미를 느끼며 접하기가 어려운 것이 현실이다. 비록 우리 민족의 이야기는 아니지만, 1,800년 전의 중국 문화의 수준을 짐작케 하고 역사 공부에도 도움이 될 뿐만 아니라, 우리나라 학생들에도 그 인지도가 높은 만큼 충분히 이해하고 건전한 학습이 이루어진다면 보다 재미있고 유익한 책이 될 수 있을 것이다.

'젊어서는『삼국지』를 읽고, 늙어서는 삼국지를 읽지 마라' 는 말이나, '『삼국지』를 세 번 이상 읽지 않은 사람과는 더불어 세상을 논하지 말라' 는 말은, 곧『삼국지』라는 책을 통해서 무한한 삶의 지혜와 용기를 얻을 수 있다는 말일 것이다.

예컨대, 유비(劉備)가 제갈량이 비범(非凡)한 재능을 가진 인재(人才)라는 소식을 듣고, 친히 제갈량의 초가집을 세 번 찾아가, 은둔지에서 나와 국정운영을 도와달라고 청한 후 제갈량을 군사(軍師)로 삼게 된 일에서 생긴 '삼고초려(三顧草廬)', 먹자니 먹을 것이 별로 없고 버리자니 아까운 닭갈비라는 뜻의 '계륵(鷄肋)', 콩을 삶는데 콩깍지를 태운다는 뜻의 '자두연기(煮豆燃萁)' 란 말은 다음과 같은 일화에서 유래되었다.

위(魏)나라 문제(文帝)이며, 조조(曹操)의 아들인 조비(曹丕)가 동생 조식(曹植)에게 앞으로 일곱 걸음[七步]을 걸어가라고 지시하고, 내 앞에서 일곱 걸음을 걷는 동안 시(詩) 한 수를 지으라고 명했다.

만약 시를 짓지 못한다면 중벌에 처하겠다고 했다. 조비는 앞으로 발걸음을 옮기면서, 골몰히 생각했다. 그리고 일곱 걸음만에 시를 지었다. 그 시는 다음과 같았다.

콩을 삶음에 콩깍지를 태우니,　(煮豆燃豆其)
가마 속 콩이 뜨거워 우는구나.　(豆在釜中泣)
본시 같은 뿌리에서 나왔건만,　(本是同根生)
뜨겁게 삶음에 어찌 이리 급한고?　(相煎何太急)

위문제(魏文帝)는 이 시(詩)의 참뜻을 이해하고, 몹시 부끄러워하며, 조비를 죽이려는 음모를 그만 두었다.

매실(梅實)은 맛이 시기 때문에 그것을 보기만 해도 침이 돌아 해갈이 된다는 뜻의 '망매해갈(望梅解渴)'이란 말은 또한 다음과 같은 이야기에서 생긴 말이다. 위(魏)·촉(蜀)·오(吳)의 삼국 시대 때 한 번은 조조(曹操)가 전선(戰線)으로 가기 위해 대군(大軍)을 이끌고 먼 거리를 진군하게 되었다. 찌는 듯한 더위에 병사들은 목이 바짝 말라 타들어 갔다. 병사들은 물을 먹고 싶었으나 물 한 방울 찾을 수가 없었다. 조조는 문득 한 가지 꾀를 생각해냈다. 손가락으로 앞을 가리키면서 조조는 병사들에게 "저 앞에 매실이 가득한 매실 나무숲이 있다. 매실은 달콤새콤하므로 갈증을 풀 수 있을 것이다." 이 말을 들은 병사들은 무의식중에 매실의 신맛을 상기하게 되었고, 그로 인하여 병사들은 입 안에 침이 고여 갈증을 잊을 수 있었다.

눈을 비비고 상대방을 본다는 뜻으로, 남의 학식이나 재주가 놀랄 만큼 갑자기 발전하는 것을 일컫는 '괄목상대(刮目相對)'라는 말도 있다. 위(魏)·촉(蜀)·오(吳)의 삼국 시대(三國 時代)때 오(吳)나라의 명장(名將) 여몽(呂蒙)은 빈민가에서 태어나 어려서 학교에 다닐 기회가 없었다. 오(吳)나라 군주 손권(孫權)이 무식한 여몽에게 최신을 다하여 가능한 한 많은 책을 읽을 것을 권유하였다. 하지만 여몽은 "군무(軍務)에 너무 바빠 책을 읽을 겨를이 없사옵니다"라고 말하였다. 손권(孫權)이 대답하여 가로되, "지난날의 무수히 많았던 유명 군사 전략가들도 똑같이 바빴으며, 불안정한 생활을 했소. 하지만 그들은 자신의 주어진 시간들을 잘 활용하여 스스로 열심히 책을 읽었소. 왜 그대라고 그러하지 못하겠는가?" 상전의 권유를 받아들인 여몽은 그때부터 열심히 글 공부를 시작하였으며, 그 결과 놀라운 진보를 보였다.

우리나라 사람이라면 이러한 고사성어들은 귀동냥이라도 해보았음직한 말들이다. 그만큼 『삼국지』는 한국과 중국, 일본 세 나라 사람들이 애독할 뿐 아니라 우리 문화의 일부가 되어 있는 것이다.

아무쪼록, 역자의 마음은 본서가 『삼국지』를 보다 깊이 그리고 체계적으로 이해하는 데 기초가 될 뿐만 아니라 이 책을 통해 삶의 지혜를 얻었으면 한다. 그리고 영어의 분위기를 느끼고, English Mind(英語的 思考)의 형성에 다소라도 기여가 된다면 그 이상 바랄 것은 없겠다.

끝으로, 본 시리즈에 대한 구상(構想)을 들으시고 출판할 수 있도록 격려와 지원을 아끼지 않으신 강병철 사장님, 김유수 편집부장님께 깊은 감사를 드리며, 책이 나오기까지 직접 실무를 맡아주신 편집부 직원들께도 사의(謝意)를 표하는 바다. 또한 독자들의 많은 지도편달을 바라는 바이다.

21세기영어교육연구회

The 'comic book' is an excellent media to entertain and educate young minds, and for the most part they are harmless fun. However, recently a serious issue has arisen about the content of comics and how they affect the impressionable segment of the population - the young. Most noticeable these days is the phenomenon of cultural spill-over stemming from the rise in the popularity of imported Japanese comic books. Some of these Japanese comic books are needlessly violent and somewhat sexually explicit, and have a negative impact on preserving Korean society. Due to Korea's historic relationship with Japan, many people are not comfortable with the trend of imitating Japanese culture. Knowledge about Japanese culture in itself is not bad but we think the saturation of Korean comic book market with Japanese comics is not balanced and will result in a distortion of the Korean identity. Youngsters are turning to Japanese comics due to the lack of stimulating and entertaining Korean comics.

Therefore in view of the need to provide comic books that will entertain while instilling positive concepts such as courage, intellectual curiosity, and ambition, we the 〈21st Century English Teachers' Association〉 have made a formal contract with Asiapac Publication in Singapore, to publish twenty volumes of 「Learning English Through Romance of the Three Kingdoms」 in a Korean-English format.

Though it is difficult for us to put all of the contents of the original 「Romance of Three Kingdoms」 into a 20-volume Korean-English version comic series, we think that these comics will be helpful for students to comprehend a whole thread of connection without getting bored with tedious stories. Additionally, if readers fully read through these comics, they can pick up some basic English vocabulary, grammar, and conversation expressions. We believe that these books will be of service to students in realizing what true courage and justice offer insights on life wisely. For example, 「Romance of the Three Kingdoms」 will give readers a lesson on how to lead a worthy life, how to repay others' kindness, and how miserable the last days are for one who has strayed from the right path and has deceived others. We hope that readers will be able to see the wisdom of life in this tough world through these books. We can say that 「Romance of the Three Kingdoms」 is permanently a new book standing apart from the ages. The story of 「Romance of the Three Kingdoms」 has nothing to do with our nation, and will not only help our students understand the Chinese culture of 1,800 years ago, but will also be instructive for those young people who intend to completely study the full version of the 「Romance of the Three Kingdoms」 at a later time. The sayings "Read 「Romance of the Three Kingdoms」 in youth, but do not read 「Romance of the Three Kingdoms」 in old age." and that "do not argue about the world with people who have never read 「Romance of the Three Kingdoms」 three times." mean that readers can get unlimited wisdom about life and obtain true courage through reading 「Romance of the Three Kingdoms」.

For instance, the expression 'Calling Thrice at the Thatched Cottage' comes from the anecdote where YuBi after hearing that JeGalRyang is a man of extraordinary talent, he drops by three times at Yungjung's thatched cottage each time asking him to come out from his seclusion and assist him in running the government. Later YuBi appoints him his chief counsellor. 'Chicken Ribs' which mean something that one hesitates to give up even though it is of little interest. The expression 'Burning Peastalks to Cook Peas' comes from the following anecdote.

JoBi, Emperor MunJe of Wi, ordered JoShik to take seven steps forward and compose a poem within the time he takes these seven steps. If he is unable to accomplish this request, he would be severely punished. As JoShik began to step forward, his mind worked busily, and he completed the poem on his seventh step. It read:

Peastalks are burned to cook peas.
The peas in the cauldron cry:
We both came from the same root.
Why must one be so cruel to the other?

When Emperor MunJe heard the poem, he felt ashamed of himself and had to drop his scheme.

In addition, the expression 'Quenching the Thirst by Looking at Plums' is said to be derived from the following story. Once during the time of the Three Kingdoms, JoJo was leading his army on a long-distance march to the battlefront. The weather was scorching hot, and the soldiers were parched with a burning thirst. They wanted water but could not find any. JoJo struck upon a clever idea. Pointing his finger forward, he said to the soldiers, "There's a large grove of plum trees ahead, fully laden with plums. They are sweet and sour and may quench your thirst." His words reminded the soldiers of the sour taste of the plums, and their mouths began to water, which made them feel less thirsty.

'Rubbing One's Eyes Before Looking at Somebody' which means to look at each other with astonishment at the progress each has made during their separation. YeoMong, a famous general of Oh during the Three Kingdoms Period, came from a poor family and during his childhood had no chance to go to school. SonGwon, the Oh ruler, told him to do his best and read as many books as possible. But YeoMong said, "As a commander, I'm too busy to learn." SonGwon rejoined, "Many famed strategists of the past led an equally busy and unsettled life. But they made the best use of their time and studied diligently on their own. Why can't you do the same?" Convinced, YeoMong began to study hard, and he made quick progress.

Most people in Korea may have come across the above Chinese idioms through everyday conversation. The story 「Romance of the Three Kingdoms」 is becoming habitual part of our culture and is popular amongst young people in Korea, China and Japan.

In any rate, we who are translators hope that our readers will be able to comprehend the comic book version of 「Romance of the Three Kingdoms」 at a deep level and gain wisdom to lead a wise life.

Besides, we hope that these comics can contribute to help readers feel English atmosphere and foster English mind.

Finally, we're much obliged to President Kang, Byung-Cheol, Editor-in-chief Kim, Yu-Su and all the staff at the publishing ccompany. It goes without saying that we welcome any comments and feedback on this edition. We all have much to learn from each other.

21st Century English Teachers' Association

Main Characters 주요 등장 인물

JuYu

주유
周瑜

NoSuk

노숙
魯肅

SonGwon

손권 孫權

JoUn

조운 趙雲
[조자룡(趙子龍)]

JangBi

장비 張飛
[장익덕(張翼德)]

JeGalRyang

제갈량 諸葛亮
[제갈공명(諸葛孔明)]

Taking Beonseong by Strategy

계략(計略)으로 번성(樊城)을 취한 유비(劉備)

Why did HyeonDeok leave the banquet at Yangyang?

YuBi returned to Sinya and sent SonGeon to Hyeongju to deliver a letter to YuPyo.

He did so as ChaeMo tried to kill him.

Two soldiers took ChaeMo away.

Take ChaeMo out and behead him!

■ ignorant 예의를 모르는, 무식한. ⓥignore ⓝignorance. ■ pardon 용서하다.
■ imperial uncle 황숙(皇叔). ■ set ~ free 풀어주다, 석방하다(= release).
■ grateful 감사하는, 고마워하는. ⓝgratitude 감사. ■ spare one's life ~의 목숨을 살려주다.

YuPyo then sent his eldest son YuGi to see YuBi and ask for his forgiveness.

Your father treats me like a brother. I won't listen to malicious remarks.

How can I not be harmed by my evil stepmother?

You'll be safe as long as you're filial.

YuGi started to cry at the banquet.

The next day, YuGi bade YuBi a tearful farewell before setting off for Hyeongju.

그런 후 유표는 장남 유기를 보내 유비를 뵙고 용서를 구하도록 했다.

자네 부친은 날 형제처럼 대해 주시네. 이간질하는 말에는 귀기울이지 않겠네.

어떻게 하면 제가 못된 계모에게 해를 입지 않겠습니까?

자네가 효성스럽게만 하면 안전할 걸세.

유기가 연회장에서 울기 시작했다.

다음날, 유기는 유비에게 눈물어린 작별 인사를 한 후 형주로 떠났다.

■ YuGi 유기(劉琦) — 유표(劉表)의 맏아들. 유비의 도움을 받았으며, 생활이 문란하여 몸이 약해지자 병이 들어 일찍 죽음. ■ ask for one's forgiveness ~의 용서를 구하다. ■ treat 대하다.
■ like ~처럼, ~같이. ■ malicious 'remarks' 악의적인 말, 나쁜 말. ■ banquet 연회, 주연.
■ harm (사람 평판 등을) 해치다, 손상하다. ■ evil 나쁜, 못된, 사악한(= wicked).
■ stepmother 계모(繼母). ■ as long as ~하는 한(= on condition that). ■ filial 자식다운.

YuBi returned to the city and saw a man coming towards him singing a song.

A wise man living in the mountains wants to find a sagacious master. The sagacious master is seeking a talented man but doesn't know where he is.

This man has great ambition - he must be a man of talent.

YuBi invited DanBok into the government office.

YuBi appointed DanBok his military adviser.

성으로 돌아오다 유비는 노래를 부르며 자신을 향해 다가오는 한 사내를 보았다.

산 속의 어진 선비가 명주(明主)를 찾고자 하네. 명주(明主)는 재사(才士)를 구하고 있으나 그가 있는 곳을 모르네.

이 사람에게는 원대한 야망이 있구나. 틀림없이 인재일게야.

유비는 단복(單福)을 관청으로 초대했다.

유비는 단복을 군사(軍師)로 임명했다.

■ sagacious 총명한, 현명한(= showing good judgement or intelligence).　■ government office 관청, 관아.
■ appoint 임명하다.　■ DanBok 단복(單福)—유비의 군사(軍師)로서 본명은 서서(徐庶)이며, 자(字)는 원직(元直)임.
■ military adviser 군사(軍師)—사령관 밑에서 군사적 계략이나 작전을 맡은 사람.
■ A wise man living … where he is. ⇒ 山谷有賢兮欲投明主 (산곡유현혜욕투명주) 산속에 어진 이 밝은 주인을 찾아가려 하네. 明主求賢兮却不知吾(명주구현혜각부지오) 밝은 주인은 그를 찾으면서 어찌 몰라보는가.

■ YeoGwang 여광(呂曠)−조조의 부하 장수임.　　■ YeoSang 여상(呂翔)−조조의 부하 잠수임.
■ invade 침략(침입)하다.　　● deploy 배치(전개)하다.
■ all right (제안 등의 대답으로) 좋다, 그래(= Yes, I consent).
■ advance 진격(전진)하다,
　　cf) advance−특히 목표를 향해가는 전진이나 진격.
　　proceed−특히 A장소에서 B장소로 향하는 움직임으로, 일단 정지한 후 다시 계속 나아가는 일.
　　move on−proceed와 같은 뜻이나 명확한 도달점을 나타내지 않음.

YuBi and JoUn led 2,000 soldiers to confront the enemy.

YuBi, surrender!

Don't be too proud!

Yeo Kwang rode out of the ranks.

I'll kill you!

Aahh!

Charge!

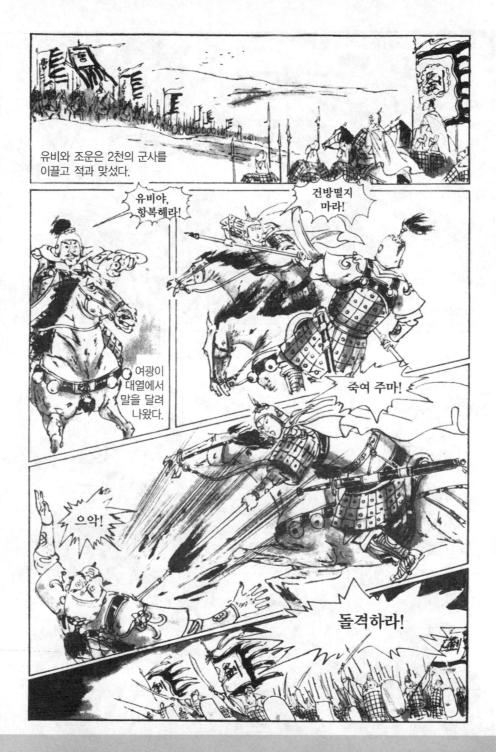

■ confront 대치(대적)하다. ■ enemy 적(敵).
■ surrender 항복(투항)하다(= give in). ■ out of the ranks 대열(隊列)에서 벗어나. cf) rank (병사의) 횡렬, 횡
대－흔히 3렬로 된 행렬에서 front rank(전열), center rank (가운데 열), rear rank(후열)이라고 함.
■ proud (나쁜 뜻으로) 거만한, 오만한(= arrogant). ■ charge ⓝ공격, 돌격. ⓥ공격(돌격)하다.

YeoSang retreated in defeat.

Suddenly, the flanks of his troops were attacked by GwanWoo and JangBi.

Aahh···

Caught unawares by the sudden attack, YeoSang was thrust to his death by JangBi.

JoJo's troops scattered in all directions.

여상은 패하여 후퇴했다.

갑자기, 관우와 장비가 여상군의
좌우측을 공격해 왔다.

으악 …

불의의 급습을 당하여, 여상은
장비의 장팔사모에 찔려 죽었다.

조조의 군대는 사방으로 뿔뿔이 흩어졌다.

- retreat 후퇴(퇴각)하다. ■ in defeat 패하여.
- suddenly = all at once = all of a sudden. ■ the franks of ~의 측면(좌우익).
- (As he was) Caught unawares by the sudden attack 불의의 급습을 당하여.
- be caught (타격을) 받다. ■ unawares 뜻밖에, 불시에, 갑자기(= by surprise, unexpectedly).
- be thrust to one's death (칼이나 창에) 찔려서 죽다. ■ scatter 흩어지다.
- in all directions 사방으로.

One soldier ran back to Beonseong and reported to JoIn.

The defeat infuriated JoIn who immediately with Deputy Commander-in-chief LeeJeon led 25,000 troops towards Sinya.

JoIn is heading a huge army this way.

His army is advancing upon Sinya. We should now attack Beonseong.

We are outnumbered. What shall we do?

패전 소식에 화가 난 조인은 즉시 부사령관
이전과 함께 2만5천의 군사를 이끌고
신야로 향했다.

한 병사가 번성으로 달려와
조인에게 보고했다.

조인이 대군을
이끌고 이쪽으로
오고 있습니다.

조인의
군사들이 신야로
밀어닥치고 있습
니다. 지금 번성을
쳐야 합니다.

우리가
수적으로
불리하오.
어쩌면 좋소?

■ Beonseong 번성(樊城) — 지명(地名)임.　■ defeat 패배.
■ infuriate 격분시키다, 화나게 하다(= fill with fury or rage).
■ immediately 즉시, 당장에, 지체없이(= at once, right away, right now, without delay).
■ Deputy Commander-in-chief 부사령관, 부대장.　■ LeeJeon 이전(李典) — 조조의 부하 장수임.
■ JoIn 조인(曹仁) — 조조의 사촌 동생이자 조조군(曹操軍)의 전위(선봉) 대장임.
■ outnumber 수적으로 우세하다.　■ be outnumbered 수적으로 불리하다.
■ advance upon ~를 향해 진격하다.

What brilliant scheme do you have in mind, sir?

We should do this…

JoIn's army reached Sinya and the two armies confronted each other.

JoUn defeated LeeJeon.

YuBi, do you recognize this formation?

The next day, JoIn deployed his troops in the 'eight gold locks formation'.

It's the 'eight gold locks formation'.

YuBi and DanBok observed from a high point.

군사(軍師), 무슨 좋은 계책이라도 가지고 계시오?

이런 식으로 하시면…

조인의 군사들이 신야에 당도하여 양군이 서로 대치하였다.

조운이 이전을 물리쳤다.

유비, 네놈은 이 진형(陣形)을 알아보겠느냐?

다음날, 조인은 군사들을 팔문금쇄진(八門金鎖陣)으로 배치했다.

이것은 '팔문금쇄진' 입니다.

유비와 단복은 고지대에서 관측했다.

- brilliant scheme 훌륭한 계책(묘책). ■ confront 대치하다. ■ each other (둘 사이에서) 서로.
- defeat ~를 물리치다, ~를 패배시키다. ■ deploy 배치시키다, 전개하다.
- eight gold locks formation 팔문금쇄진(八門金鎖陣)─휴(休), 생(生), 상(傷), 두(杜), 경(景), 사(死), 경(驚), 개(開)의 8문(門)으로 구성되며, 생(生), 경(景), 개문(開門)으로 들어가면 길(吉)하고, 상(傷), 경(驚), 휴문(休門)으로 들어가면 다치고, 두(杜), 사문(死門)으로 들어가면 망한다고 함.
- observe 관찰하다, 살펴보다. ■ a high point 고지대(高地帶), 높은 곳.

That night, JoIn raided YuBi's camp again.

JoIn, you've been tricked again!

?!

JoIn retreated to the riverbank but JangBi appeared in front of him.

!

JoIn, you can't escape now!

Guarded by LeeJeon, JoIn crossed the river in a boat, but most of his soldiers drowned.

JoIn led his defeated troops back to Beonseong.

Open the gate, General Jo is back!

At the burst of drums, GwanWoo dashed out.

Startled, JoIn turned his horse to run away.

GwanWoo gave chase and JoIn suffered more losses.

조인은 패잔병을 이끌고
번성으로 돌아왔다.

갑자기
북소리가 터져
나오며, 관우가
뛰쳐나왔다.

성문을 열어라,
조장군께서
돌아오셨다!

깜짝 놀라, 조인은
말을 돌려 도망갔다.

관우가 추격하였고 조인은
더 많은 손실을 입었다.

■ at the burst of drums 북소리가 터져 나오자마자. ■ dash out 달려 나오다.
■ startle 깜짝 놀라다(= give a shock of surprise to). ■ run away 도망치다, 달아나다(= escape).
■ give chase 추격(추적)하다. ■ suffer more losses 더 많은 손실을 입다.

YuBi took Beonseong.

YuBi adopted GuBong, the nephew of the magistrate, as his foster son and changed his name to YuBong.

JoUn, remain here with 1,000 men to guard Beonseong.

Yes, sir!

YuBi returned to Sinya.

■ adopt 양자로 삼다.
■ GuBong 구봉(寇封) ─ 번성 현령 유필의 조카로 유비가 자신의 양자로 삼은 인물임.
■ nephew 조카.
■ the magistrate 번성 현령(樊城縣令) 유필(劉泌)을 말함.
■ foster son 수양 아들.
■ YuBong 유봉(劉封) ─ 유비가 번성에서 양자로 삼은 구봉(寇封)의 새 이름임.

■ SeoSeo 서서(徐庶) − 자(字)는 원직(元直)이며, 단복(單福)이라고도 함. 책략가(策略家)이며, 제갈량의 친구임. 처음
에 유비의 군사(軍師)로 조조의 군대를 무찌르다가 조조의 꾀에 빠져, 어머니 때문에 어쩔 수 없이 조조 밑에 있게
되나 어머니가 자결하자 조조에게는 단 한 가지의 계책도 바치지 않음.

■ recommend 추천하다.   ■ JeGalRyang 제갈량(諸葛亮) − 유비의 군사(軍師)임.

SeoSeo Recommends JeGalRyang

제갈량(諸葛亮)을 천거한 서서(徐庶)

To win or lose a battle is common. I wonder who masterminded YuBi's plans.

JoIn returned to Heochang, to ask JoJo for forgiveness.

I hear that YuBi has a new military adviser, DanBok.

Have you heard DanBok?

His real name is SeoSeo, alias WonJik.

How is he as compared with you?

He's ten times better.

JeongUk spoke to JoJo.

■ ask ~ for forgiveness ~에게 용서를 구하다.　■ Heochang 허창(許昌)－조조가 머물고 있는 수도(首都)임.
■ military adviser 군사(軍師)－사령관 밑에서 군사적 계략(計略)이나 작전을 맡은 사람.
■ common 흔한, 자주(흔히) 있는.　■ mastermind 뒤에서 조종(지휘)하다.
■ real name 본명(本名).　■ alias 자(字), 호(號), 본명 이외의 이름.
■ JeongUk 정욱(程昱)－조조의 참모로서 원소를 토벌할 때 큰 공을 세움.
■ be compared with ~ 와 비교하다.　■ He is ten times better(than I) 그가 10배 더 뛰어나다.

■ It's a pity ~ ~이 유감이다. 애석하다.　■ brilliant 훌륭한.
■ serve 섬기다.　■ filial son 효자(孝子), 효성이 지극한 아들.
■ lure 유혹하다, 꾀어내다.　■ summon 소환하다, 불러들이다.
■ shameless 파렴치한, 뻔뻔스러운.　■ but = only.
■ traitor 배신(背反)자, 역적.　■ send for ~을 부르러 보내다.

Execute her!

She grabbed an ink-stone and threw it at JoJo!

No, don't kill her! If you do, SeoSeo will be dead set on helping YuBi. Let her live. I'll get her son to come round.

JoJo put her under house arrest instead.

JeongUk often visited the old lady pretending to be her son's sworn brother.

■ grab 움켜쥐다, 잡아채다. ■ ink-stone 벼루.
■ throw A at B B에게 A를 던지다. ■ execute 처형하다.
■ dead set 끈질긴 노력, 단호한, 단단히 결심한. ■ get A to 부정사(B) A에게 B를 시키다.
■ come round (의견 등을) 바꾸다, 자기 의견을 바꾸어 다른 사람에게 동조하다(= change one's idea and agree
with the others instead of opposing them). ■ put ~ under house arrest 가택연금시키다.
■ instead 그 대신에, 대신에. ■ pretend ~인 척하다(=make believe). ■ sworn brother 의형제.

After some time, JeongUk managed to secure her handwriting.

He wrote a letter to SeoSeo, forging his mother's hand-writing, alleging that she had been imprisoned and asked him to come to Heochang.

Though reluctant to let you go, I can't stop your being filial.

Upon hearing the news, both YuBi and SeoSeo shed tears.

얼마 후, 정욱은 간신히 노파의 필적을 손에 넣을 수 있었다.

정욱은 서서 모친의 필적을 위조하여 모친이 옥에 갇혀 있으니 허창으로 돌아오라는 글을 서서에게 썼다.

군사를 가게 하고 싶지는 않소만, 난 공의 효심을 막을 수 없구려.

이 소식을 듣고, 유비와 서서는 서로 눈물을 흘렸다.

■ secure 획득하다, 손에 넣다. ■ handwriting 필적, 서체, 필체.
■ forge 위조하다. ■ allege 진술하다, 주장하다.
■ imprison 투옥(구금)하다. ■ Upon ~ ing ~하자마자(= As soon as).
■ shed tears 눈물을 흘리다. ■ reluctant 마음에 내키지 않는.
■ being filial 효성(孝誠).

제가 덕이 없어서 공을 항상 곁에 둘 수가 없는가 보오. 부디 몸조심하시오.

이튿날, 유비, 관우, 장비와 조운은 장정(長亭)에서 서서를 위한 송별연을 베풀었다.

저는 제 모친을 구하러 가는 것입니다. 결단코 조조를 섬기지는 않겠습니다.

우리가 언제나 다시 만날 수 있겠소?

유비는 매우 멀리까지 서서를 배웅하면서 눈물어린 직별 인사를 나누었다.

내 군사가 드디어 떠났구나. 어찌하면 좋단 말인가?

■ have the good fortune to + ⓥ 운좋게도 ～하다.   ■ take good care of yourself 몸조심하다.
■ throw a farewell party 송별연을 열다.
■ Long Pavilion 장정(張亭)－나그네를 전송하는 휴게소.
■ rescue 구하다.   ■ accompany 동행(수행)하다.
■ bid a tearful farewell 눈물어린 작별을 고하다.   ■ military adviser 군사(軍師).

■ suddenly = all at once = all of a sudden. ■ turn back 돌아오다(= return).
■ be upset 마음이 심란하다. ■ Yunjung 용중(隆中)−제간공명이 살고 있는 곳임.
■ alias 자(字), 호(號). ■ GongMyeong 공명(孔明)−제갈량(諸葛亮)의 자(字)를 말함.
■ Sleeping Dragon 와룡(臥龍), 잠자는 용. ■ personally 친히, 몸소, 직접.
■ alright = all right.

■ kneel — knelt — knelt 무릎을 꿇다. ■ useless 쓸모없는, 소용없는.
■ forge 위조하다. ■ face 얼굴을 대하다.
■ in indignation 분노(분개)하여.
■ take one's own life 자결(자살)하다(= kill oneself, commit suicide).
■ bury 묻다, 매장하다. ⓐburial 매장. ■ give counsel to ~에게 조언하다.

■ recluse 속세를 떠난 사람, 은둔자(= a person who lives alone and avoids other people).
■ 삼고초려(三顧草廬) - 중국 촉한(蜀漢)의 유비(劉備)가 제갈량(諸葛亮)의 초옥(草屋)을 세 번이나 방문하여 마침내 군사(軍師)로 삼은 일화로, 특히 인재(人才)를 맞아들이기 위하여 참을성 있게 마음을 쓴다는 뜻이다.

The Three Visits to the Recluse
삼고초려(三顧草廬)

After returning to Sinya, YuBi took some present and set out with GwanWoo and JangBi for Yungjung to visit JeGalRyang.

In the village of Sleeping Dragon.

Please tell me where Mr.JeGal's home is.

I'm YuBi, I come to see Mr. JeGal.

Yes?

Master left this morning to travel; he may be away for ten days or more.

Oh, how unfortunate!

신야로 돌아온 후, 유비는 약간의 예물을 가지고 관우, 장비와 함께 융중(隆中)의 제갈량을 방문하러 떠났다.

와룡촌에 있습니다.

제갈 선생 댁이 어딘지 말씀해 주십시오.

난 유비란 사람으로, 제갈 선생을 뵈러 왔네.

그래요?

주인께서는 아침에 여행을 떠났습니다; 십여 일 쯤 집을 비우실 것입니다.

오, 저런!

■ present 선물, 예물.　■ set out – start.
■ Yungjung 융중(隆中) – 제갈량이 살고 있는 마을 이름임.　■ village of Sleeping Dragon 와룡촌(臥龍村).
■ master 주인, 주공.　■ this morning 오늘 아침.
■ be away 떠나 있다, 부재중이다.　■ unfortunate 불행한, 운이 없는.

■ all right (제안 등의 대답으로) 좋소, 그래(= Yes, I consent).
■ daily 매일(= every day).

My lord! JeGalRyang's back.

Several days later…

Get horses ready!

He's a country bumpkin. Send for him.

GongMyeong is a rare talent. I'm not sure that he'll come, even if I myself invite him

It was winter, the three of them again went to Yungjung amid a heavy snowstorm.

■ battle 전쟁, 전투.　■ The + 비교급 ~ the + 비교급 ~하면 할수록 그만큼 더 ~ 하다.
■ sincere 진실한, 거짓없는.　■ in vain 헛되이, 무익하게(= without the desired result).
■ hall 초당(草堂)－집의 원채에서 따로 떨어진 정원에 억새 · 짚 등으로 지붕을 인 작은 집채.

- general 장군.
- in a few days 며칠 뒤에.
  cf) He came here after two days(그는 <u>이틀 뒤에</u> 이곳에 왔다).
  He will come here in two days(그는 <u>이틀 뒤에</u> 이곳에 올 것이다).

■ alternative 대안(代案), 다른 방도. ■ leave a note for ~에게 메모를 남기다.
■ cxpress esteem 존경을 표하다. ■ bother 귀찮게 하다, 괴롭히다.

Soon, it was spring.

Let's visit JeGalRyang today.

You've visited him twice but he hasn't paid you a visit. Maybe he's unworthy of his reputation so he has avoided meeting you.

I'll tie him up and bring him here.

As you're so rude, you'll not go with us. I'm going only with UnJang.

How can I not go?

Of course I will.

Then, you must behave yourself.

이윽고, 봄이 왔다.

오늘은 제갈량을 찾아가 보자.

형님께서는 그를 두 번씩이나 찾아갔지만 그는 형님을 한 번도 찾아온 적이 없습니다. 아마 그는 자신이 평판에 못 미쳐서 형님 만나기를 꺼려하는 것 같습니다.

제가 놈을 포박하여 이리로 끌고 오겠습니다.

네가 그렇게 무례하니, 너를 데려가지 않겠다. 난 운장하고만 가겠다.

네가 어찌 안가겠소?

물론입죠.

그러면, 얌전히 굴어야 한다.

- spring 봄. ■ twice 두 번(= two times).
- pay a visit 방문하다(= visit). ■ be unworthy of ~의 가치가 없는.
- reputation 명성, 평판(= fame). ■ avoid ~ing ~를 피하다.
- tie ~ up ~를 단단히(꽁꽁) 묶다, 포박하다. ■ rude 무례한(= impolite).
- of course 물론. ■ behave oneself 얌전히 처신하다.

He came back last night.

Is your brother home?

They met JeGalKyun on the way to the Hillock of Sleeping Dragon.

Please tell your master YuBi is here.

He's taking a nap.

Then don't disturb him. You two wait outside.

YuBi entered the hall and saw a man sleeping. He waited at the foot of the steps.

선생께 유비가 왔다고 여쭈어라.

낮잠을 자고 계십니다.

간밤에 돌아 오셨습니다.

형님께선 댁에 계시는지요?

유비 일행은 와룡장으로 가는 길에 제갈균을 만났다.

그러면 선생을 깨우지 말게. 자네 둘은 밖에서 기다리게.

유비는 초당으로 들어가 한 남자가 잠자고 있는 것을 보았다. 유비는 섬돌 아래에서 기다렸다.

- hillock 작은 언덕.
- last night 어젯밤.
- take a nap 낮잠자다.
- disturb (평온·휴식·잠을) 방해하다. cf) Do not disturb! (호텔 등에서 방에 내거는 문구로) 깨우지 말아 주세요, 면회사절.

- arrogant 건방진, 오만한(= haughty).
- set fire to ~에 불을 지르다.
- cottage 초당(草堂), 작은집, 초옥(草屋).
- Damn it! 제기랄! cf) damn 저주하다, 지옥에 떨어뜨리다.

SonGwon controls Gangdong with the people's support and has the Yangja River as a barrier. Befriend him, not invade his territory.

Take Hyeongju, then Ikju. Form a tripartite alliance with SonGwon. Then, the central plains!

Now I'm enlightened. Please be my adviser.

You are so sincere, I'll do my best.

Thus, JeGalRyang came out of seclusion to help YuBi establish a great empire.

YuBi gave JeGalRyang some gifts.

손권은 백성들의 지지를 받아 강동을 다스리고 있으며 양자강을 경계로 삼고 있습니다. 그와 가까이 하시고, 그의 영토를 침범하지 마십시오.

형주를 취한 후, 이주를 얻으십시오. 손권과 더불어 삼국동맹을 맺으십시오. 그 다음이 중원입니다!

이제야 깨달았습니다. 부디 제 군사가 되어 주십시오.

공께서 매우 진지하시니, 최선을 다하겠습니다.

이리하여, 제갈량은 초야(草野)에서 나와 유비의 대제국 건설을 돕게 되었다.

유비는 제갈량에게 예물을 주었다.

■ support 지지, 찬성.　■ Yangja River 양자강(揚子江)－장강(長江)이라고도 함.　■ barrier 장벽, 장애물.
■ befriend ～와 친구가 되다, 돕다.　■ invade 침입(침략)하다.　■ territory 영토.
■ Ikju 익주(益州)－지명(地名)임.　■ form a tripartite alliance with ～와 삼국동맹을 맺다.
■ the central plains 중원(中原)－중국 대륙을 말함, 특히 중국 황하(黃河)강 유역을 말함.
■ be enlightened (무지 등에서) 깨닫다, 알다.　■ sincere 진실한, 거짓없는, 진지한.
■ do one's best 최선을 다하다.　■ seclusion 은둔지, 외떨어진 곳.
■ establish (국가, 정부를) 수립하다, 세우다.　■ empire 제국, 왕국.　■ gift 선물, 예물.

■ attack 공격하다.　■ HwangJo 황조(黃祖) — 형주 태수(荊州太守) 유표(劉表)의 부장임.

SonGwon Attacks
HwangJo
황조(黃祖)를
공격하는 손권(孫權)

SonGwon inherited power from his father and elder brother, entrenched in Gangdong, and gradually expanded his territory.

Many civilian officials and military commanders such as GamTaek, JuHwan, YukJeok, YeoMong, YukSon, SeoSeong, and JeongBong all came to serve under him.

After defeating WonSo, JoJo despatched a letter asking SonGwon to send his son to be an attendant in the emperor's court.

This is JoJo's scheme to control the provincial chiefs. If you refuse, he'll send troops down south to threaten us. The situation will be very dangerous.

SonGwon and his mother Madam Oh consulted JangSo and JuYu.

손권은 부친과 형으로부터 권력을 계승하여, 강동을 기반으로 삼고, 점차 영토를 확장해 나갔다.

감택(闞澤), 주환(朱桓), 육적(陸績), 여몽(呂蒙), 육손(陸孫), 서성(徐盛), 그리고 정봉(丁奉)과 같은 많은 문무관(文武官)들이 모두 손권의 휘하에 들어왔다.

원소를 무찌른 후, 조조는 서신 한 통을 손권에게 보내 그의 아들을 황실의 신하로 들여보낼 것을 요구했다.

손권과 그의 모친 오태부인(吳太夫人)은 장소와 주유에게 자문을 구했다.

이것은 제후들을 견제하려는 조조의 음모입니다. 거절하시면, 조조는 군대를 남쪽으로 보내 우리를 위협할 것입니다. 사태가 매우 위태로워질 것입니다.

■ inherit 상속하다, 이어받다.　■ power 권력.　■ entrench 기반을 굳히다, 확고하게 하다.
■ grdually 점차, 차차, 서서히(= by dcgrees).　■ expand 확장하다.　■ territory 영토.
■ civilian officials 문관(文官).　■ military commanders 무관(武官).　■ GamTaek 감택(闞澤)－손권의 부하 장수임.　■ JuHwan 주환(朱桓)－손권의 부하 장수임.　■ YukJeok 육적(陸績)－손권의 부하 장수임.
■ YeoMong 여몽(呂蒙)－손권의 부하 장수이자 북평(北平)의 도위(都尉)이며, 훗날 관우를 포로로 잡아 죽임.
■ YukSon 육손(陸遜)－손권의 부하 장수임.　■ SeoScong 서성(徐盛)－손권의 부하 장수임.
■ JeongBong 정봉(丁奉)－손권의 부하 장수임.　■ provincial chiefs 제후(諸侯).

Soon, SonGwon personally led a fleet to attack HwangJo, a commander under YuPyo who was guarding Hagu.

Son's general NeungJo charged into the harbour and was killed by GamNyeong, HwangJo's officer.

NeungJo's fifteen-year-old son NeungTong fought hard to retrieve his father's body.

SonGwon withdrew his troops.

이윽고, 손권은 몸소 함대를 이끌고, 하구를 수비하고 있는
유표의 부장 황조를 공격했다.

손권의 부장 능조가 항구로
돌진하다기 황조의 부장,
감녕에게 목숨을
잃었다.

능조의 열다섯살 된
아들 능통은 맹렬히 싸워
부친의 시신을 되찾았다.

손권은 군사를
철수시켰다.

■ lead a fleet 전함(함대)을 이끌다(지휘하다).　■ attack 공격하다.　■ commander 사령관, 대장, 지휘자.
■ guard 지키다.　■ Hagu 하구(河口) - 지명(地名)임.　■ NeungJo 능조(凌操) - 손권의 부하 장수임.
■ charge into ~로 돌진(돌격)하다.　■ harbo(u)r 항구.　■ GamNyeong 감녕(甘寧) - 황조(黃祖)의 부장임.
■ officer 부관, 장교.　■ NeungTong 능통(能通) - 손권의 부장이며, 능조의 아들임.
■ retrieve 되찾다, 회수하다, 가져오다.　■ withdraw ⓥ철수하다. ⓝwithdrawal 철수.
■ troop(s) 군대, 부대.

■ reign 통치(기간), 지배, 시대.
■ Geon-An 건안(建安) — 중국 후한(後漢)의 헌제(獻帝) 시대의 연호(年號), 196년부터 220년까지 사용함.
■ madam 마님, 부인. ■ Madam Oh 오 태부인(吳 太夫人) — 손권의 모친임.
■ summon 부르다, 소환하다. ■ JangSo 장소(張昭) — 손권의 심복 장수임.
■ JuYu 주유(周瑜) — 손권, 손책을 도운 오(吳)나라의 대도독(大都督).
■ assist = help. ■ treat 대하다.

■ at the same time 동시에(= simultaneously).

■ pass away 돌아가시다, 죽다(= die). cf) My sister and I married your father at the same time. : 손견에게 는 세 사람의 부인이 있었는데, 본처인 오씨(吳氏)와의 사이에는 장자 손책(孫策)을 비롯하여 손권(孫權), 손익(孫 翊), 손광(孫匡)의 아들이 있고, 본처의 동생인 둘째 부인과의 사이에는 아들 손랑(孫郎)과 딸 손인(孫仁)이 있고, 셋째 부인 유씨(俞氏)와의 사이에는 아들 손소(孫韶)가 있었다.

SonGwon appointed JuYu Commander-in-chief and YeoMong Commander of the vanguard with DongSeup and GamNyeong as his deputies. He himself led 100,000 troops to Gangha.

HwangJo appointed SoBi the Chief Commander and JinChwi and DeungRyong Commander of the vanguard. With their ships chained together, they were ready.

Fire!

Twang! Twang!

SonGwon's fleet withdrew.

손권은 주유를 대도독으로 임명하는 한편, 여몽을 선봉장으로 세우고 동습과 감녕을 그의 부장으로 주었다. 손권은 몸소 십만 대군을 이끌고 강하로 진군했다.

황조는 소비를 대장으로 삼고, 진취와 등룡을 선봉장으로 삼았다. 그들은, 배들을 서로 사슬로 묶어, 전투 준비를 마쳤다.

쏴라!

윙! 윙!

손권의 함대가 퇴각했다.

■ appoint 임명하다. ■ Commander-in-chief 총사령관, 대장.
■ Commander of the vanguard 선봉대장, 전위대장. ■ DongSeup 동습(董襲)－손권의 부하 장수임.
■ deputy 부관(副官), 부장(副將). ■ Gangha 강하(江夏)－지명(地名)임.
■ SoBi 소비(蘇飛)－황조의 부하 장수임. ■ Chief Commander 대장, 사령관.
■ JinChwi 진취(陣就)－황조의 부하 장수임. ■ DeungRyong 등룡(鄧龍)－황조의 부하 장수임.
■ Command 명령(지휘)하다. ■ the vanguard 선봉대, 전위대. ■ chain together 사슬로 서로 묶다.
■ fire 쏘다, 발사하다. ■ Twang! 화살이 윙하고 나는 소리. ■ fleet 전함, 함대. ■ withdraw 철수하다.

Your Honour, I'll go and cut the chains.

Fine!

As they approached the fleet of Gangha, GamNyeong's soldiers cut the chains.

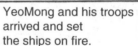

GamNyeong led 100 boats forward.

Then GamNyeong and his soldiers jumped onto the enemy's ships and killed DeungRyong.

Aahh!

YeoMong and his troops arrived and set the ships on fire.

주공, 제가 가서 사슬을 끊겠습니다.

좋다!

강하의 선단에 가까이 이르자, 감녕의 병사들이 사슬을 끊었다.

감녕이 병선 백여 척을 이끌고 앞으로 나갔다.

그리고 감녕과 그의 병사들이 적의 갑판으로 뛰어올라 등룡을 죽였다.

아악!

여몽과 그의 군사들이 도착하여 적선에 불을 놓았다.

■ Your Hono(u)r 각하, 주공. ■ approach 접근하다.
■ fleet 함대, 전함. ■ enemy 적(敵).
■ set ～ on fire ～에 불을 지르다.

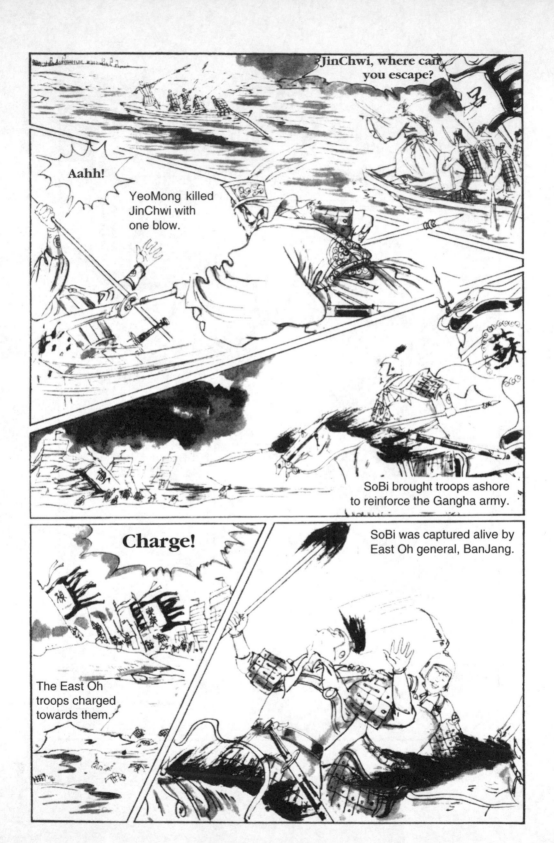

■ with one blow 일격에, 단칼에.　■ ashore 해안에, 해안으로.
■ reinforce 강화(승강,보강)하다.　■ the East Oh 동오(東吳).
■ charge towards ~를 향해 돌진(돌격)하다.　■ charge ⓝ돌격(돌진). ⓥ 돌격(돌진)하다.
■ be captured alive 사로잡히다, 생포되다.　■ BanJang 반장(潘璋) - 오(吳)나라 손권의 부하 장수임.

SonGwon led the main forces to Hagu and attacked day and night.

The defeated HwangJo had to give up the city and flee towards Hyeongju.

HwangJo, you can't escape!

I served you well, yet you regarded me as a mere pirate. Now you dare claim to have treated me well!

I've always treated you well, why are you doing this?

As HwangJo turned to escape, GamNyeong shot an arrow.

손권은 주력부대를 하구로
이끌고 가 밤낮으로
공격하였다.

패배한 황조는
성을 버리고
현주로
달아나야만 했다.

황조 이놈, 빠져나
갈 수 없다!

내 너를 잘 섬겼거늘, 너는 나를
일개 해적으로 취급했었다. 이제
와서 감히 네가 날 잘 대해주
었다고 큰소리 치느냐!

내 너를 항상 잘 보살펴 주었거늘,
어찌 내게 이런 짓을 하느냐?

황조가
몸을 돌려 도망치자,
감녕이 활을 쏘았다.

■ lead the main forces 주력 부대를 이끌다(지휘하다). ■ Hagu 하구(夏口) – 지명(地名)임.
■ day and night 밤낮으로. ■ give up 포기하다, 버리다(= abandon).
■ flee towards ~로 달아나다.
■ regard A as B A를 B로 여기다(= look upon A as B, think of A as B).
■ pirate 해적, 약탈자. ■ claim 주장하다.
■ treat 대하다. ■ shoot an arrow 화살을 쏘다.

HwangJo fell off his horse.

GamNyeong cut off HwangJo's head.

SonGwon led his troops back to Gangdong in triumph and offered HwangJo's head as a sacrifice at his father's grave.

SonGwon led his troops into Gangha and appointed GamNyeong district commander.

He then held a banquet to celebrate the victory.

황조는 말에서
떨어졌다.

감녕이 황조의
목을 베었다.

손권은 군사를 이끌고 의기양양하게
강동으로 돌아와 황조의 머리를 부친
손견의 무덤에 제물로 바쳤다.

손권은 군대를 강하로 이끌고
들어가 감녕을 도위로 봉했다.

그런 후 손권은 연회를
열어 승리를 자축하였다.

■ fall off ∼에서 떨어지다.   ■ cut off 목을 사르다. 베다.
■ Gangdong 강동(江東)—지명(地名)임.   ■ appoint 임명하다.
■ district commander 도위(都尉)—지방 장관에 속해 있는 군관.
■ in triumph 의기양양하여, 승리감에 도취되어.
■ offer ∼ as a sacrifice ∼를 제물로 바치다.   ■ grave 무덤, 묘지.

■ Bakmang Hillside 박망파(博望坡) - 지명(地名)임.　■ hillside 언덕의 경사면, 산허리.

The Battle at Bakmang Hillside
박망파 전투(博望坡 戰鬪)

After JeGalRyang has come out of seclusion, YuBi appointed him his military adviser and teacher.

You've treated him too well.

He's too young to be so talented.

One day, GwanWoo and JangBi were talking with YuBi.

Having GongMyeong is like having a fish in water. Stop making such remarks!

GwanWoo and JangBi left unconvinced.

One day, YuPyo invited YuBi to Hyeongju. JeGalRyang accompanied him.

제갈량이 초야에서 나오자, 유비는 그를 군사와 스승으로 삼았다.

형님은 공명을 너무 잘 대해 주셨소.

공명은 너무 어려서 재주도 대단하지 않습니다.

어느 날, 관우와 장비가 유비와 함께 얘기하고 있었다.

내가 공명을 얻은 것은 물고기가 물을 만난 것과 같네. 그런 말은 말게!

관우와 장비는 이해를 못한 채 나왔다.

어느 날, 유표가 유비를 형주로 초대했다. 제갈량이 유비와 동행했다.

■ come out of seclusion 은둔 생활을 그만두고 나오다. ■ seclusion 은둔지, 초야(草野).
■ appoint 임명하다. ■ military adviser 군사(軍師).
■ treat 대하다. ■ talented 재능이 있는.
■ be like ~와 같다, ~와 유사(비슷)하다(= be similar to). ■ make remarks 말하다(= say).
■ unconvinced 납득하지 않는(못한). ■ accompany 동행(수행)하다.

■ What do you say(to attacking East Oh)'? cf) What do you say to ～ing ? = What do you think of ～ ing ? = What about ～ing ? = How about ～ing? = How do you like ～ing? = How do you feel about ～ing? ～은 어떻습니까 ? ～에 대해서 어떻게 생각합니까 ?
■ rule 다스리다, 통치하다.　■ cue 신호를 하다, 암시를 주다.
■ be up to ～에 종사하다, ～를 맡다.

■ refuse 거절하다(= turn down).　■ offer 제의.
■ take advantage of 속이다, ~를 이용하다(= avail oneself of, make use of, utilize).
■ kind-hearted 인정 많은, 마음씨 고운.　■ stepmother 계모(繼母).
■ save (목숨을) 구하다.　■ solution 해결책.
■ suggcstion 생각, 계획, 제안, 충고.　■ family affair 집안일, 가족의 문제.

내일 내가 군사께 너를 찾아가라 이르마. 다시 한 번 간청하면 틀림없이 너를 도와 줄 것이다.

다음날, 유비는 제갈량에게 자기 대신에 유기를 만나 볼 것을 청했다.

제 목숨이 경각에 달려 있습니다. 모면할 방도를 일러 주십시오

유표의 허락을 받아, 유기는 군사를 이끌고 강하를 지키려 떠났다. 한편, 유비와 제갈량은 신야로 되돌아갔다.

유기가 눈물을 흘리면서 떠났다.

강하에 당신의 군사를 주둔케 해 달라고 요청하시오. 그러면 무사할거요.

■ beg 부탁하다, 청하다.
■ YuGi 유기(劉琦)─유표의 맏아들로서 유비의 도움을 받았으며, 생활이 문란하여 몸이 약해지자 병들어 일찍 죽음.
■ call on = visit.　■ on one's behalf ~를 대신하여.
■ be in danger 위험에 처하다(= be at stake).　■ request 요청하다.
■ station 주둔(배치)하다.　■ meanwhile 그러는 동안, 그러는 사이(= meantime).

Have you forgotten your ambition? Why are you doing this?

I'm just bored.

YuBi threw away the hat.

One day, YuBi sat weaving a hat with yak-tail hair.

We're short of men. What'll we do if JoJo attacks?

That's my concern but I haven't found a solution.

We must recruit soldiers fast. I'll train them personally.

In just a few days, YuBi recruited 3,000 soldiers and JeGalRyang trained them.

Soon, JoJo was ready to attack south. He held a meeting with his men.

YuBi has been drilling his soldiers in Sinya every day. We should eliminate him quickly.

HaHuDon, take 100,000 soldiers to attack Sinya with AkJin, LeeJeon, and HaHuRan.

Yes, sir!

YuBi has JeGalRyang as his military adviser. Don't underestimate him.

단 며칠 만에, 유비는 3천 명의 군사를 모집하였고 제갈량이 그들을 훈련시켰다.

곧, 조조는 남쪽을 공격할 채비를 했다. 그는 참모들과 회의를 열었다.

유비가 매일 신야에서 병사들을 훈련시키고 있습니다. 그를 빨리 제거해야 합니다.

하후돈, 군사 10만을 이끌고 악진, 이전 그리고 하후란과 함께 신야를 공격하라.

예, 장군!

유비는 제갈량을 그의 군사로 두었습니다. 그를 과소평가하지 마십시오.

■ be ready to ∼할 준비(채비)를 하다. ■ hold a meeting 회의를 열다.
■ drill soldiers 병사를 훈련시키다. ■ eliminate 없애다, 제거하다(= get rid of, remove).
■ LeeJeon 이전(李典)—조조의 심복 장수임. ■ AkJin 악진(樂進)—조조의 심복 장수임.
■ HaHuRan 하후란(夏候蘭)—조조의 부하 장수임. ■ military adviser 군사(軍師).
■ underestimate 깔보다, 과소 평가하다.

■ coward 겁쟁이. ■ capture ~ alive 생포하다, 사로잡다. ■ take ~ lightly ~을 얕보다, 가볍게 여기다.
■ be like ~나 다름없다, ~와 유사(비슷)하다(= be similar to). ■ with wings 날개 달린.
■ against you 당신에게 비하면. ■ but = only. ■ firefly 반딧불.
■ shine like a full moon 보름달처럼 빛나다. ■ nonsense 말도 안 되는 소리, 허튼소리.
■ pay the penalty 벌금을 물다, 응보를 받다. ■ look forward to ~을 기대하다(=expect).
■ good news 희소식. ■ huge army 대군(大軍). ■ set off = start.

■ despatch 급파(파견)하다(= dispatch).   ■ advance 진격(진군)하다.
■ deal with 다루다, 처리하다, 상대하다.   ■ enemy 적(敵).
■ joke 농담하다.

GwanWoo and JangBi may not obey me. I need the commander-in-chiefs seal and sword.

YuBi consulted JeGalRyang.

JeGalRyang called a staff officer's meeting.

Let's see how he deploys the troops.

GwanWoo. take the troops to hide on the left side of Bakmang Hillside. Don't fight till you see fire on the south side.

JangBi, your troops will hide on the right side of Bakmang Hillside. Attack when you see the fire.

Yes, sir!

GwanPyeong, YuBong, be ready on the slope. Fire on seeing Jo's troops coming.

그 후 제갈량은 번성에 있는 조운을 불러들였다.

■ enemy 적(敵). ■ lose (싸움에서) 지다, 패하다.
■ a back-up force 후방 지원군, 예비대. ■ pretend ~인 체하다(= make believe).
■ be defeated 패하다. ■ guard 지키다.

■ at home = comfortable = at ease 편안한.
■ risk one's life 목숨을 걸다. cf) take(run) a risk 위험을 무릅쓰다.
■ comfortable 편안한, 마음 편한(= at home, at ease).   ■ devise a strategy 계책(계략)을 궁리하다.
■ ensure 보증하다, 확보하다.   ■ whoever = anyone who.   ■ disobey 거역하다, 복종하지 않다.
■ behead 참수하다, 목을 베다.   ■ work 효과가 있다.
■ deal with (kill의 완곡 어법으로) 처단하다.

Ha! JeGalRyang sent this army. It's like driving lambs into a tiger's mouth.

The next day, HaHuDon's troops reached Bakmang Hillside. JoUn and his troops met the enemy.

JoUn rode forward to meet HaHuDon.

After a few rounds, JoUn ran off. HaHuDon pursued him.

After ten li, JoUn fought with HaHuDon again.

They fought another few rounds; JoUn again ran away in defeat.

JoUn may be leading us to a trap.

이튿날, 하후돈의 군사들이 박망파에
당도하였다. 조운이 그의 군사들을 이끌고 적과 맞섰다.

■ enemy 적(敵).   ■ be like = be similar to.
■ drive lambs into a tiger's mouth 호랑이 입으로 양떼를 몰다 - 여기서 양떼는 조운이 이끄는 적은 군사를 말하고, 호랑이란 대군을 이끄는 하후돈의 군사를 말한다.
■ run off 도망치다, 달아나다.   ■ ten li 10리(里) - 약 4Km를 말함.
■ run away 도망치다, 달아나다(= escape).   ■ in defeat 패하다.
■ lead ~ to a trap ~를 함정으로 유인하다.

You're right.
Halt! Turn back!

Fire!
Run!

JoUn and YuBi pursued the enemy. In the confusion, JoJo's troops fought against one another.

HaHuDon, LeeJeon and AkJin dashed through the smoke and fire and escaped.

I've been waiting for you!

자네 말이 맞네. 멈춰라!
후퇴하라!

불이야!
도망쳐라!

조운과 유비가 적들을 추격하였다.
그 와중에, 조조군들은
자기편끼리 서로 싸웠다.

하후돈, 이전, 악진은 연기와
불길을 헤치며 달아났다.

네놈들을
기다리고 있었다

■ halt = stop.   ■ turn back - return.
■ pursue the enemy 적을 추격(추적)하다.   ■ in the confusion 당황하여.
■ one another (셋 이상에서) 서로.   ■ dash through 돌파하다. 돌진하다.
■ wait for = await.

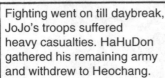**JangBi is here!**

HaHuDon and his men ran towards the right of the hillside.

JangBi killed the frightened HaHuRan.

Fighting went on till daybreak, JoJo's troops suffered heavy casualties. HaHuDon gathered his remaining army and withdrew to Heochang.

We are convinced. You are a genius.

YuBi's army returned to Sinya triumphantly. JeGalRyang held a banquet for them.

장비가 여기 있다.

하후돈과 그의 부하들이 박망파 우측으로 달아났다.

장비는 겁먹은 하후란을 죽였다.

싸움은 새벽녘까지 계속 되었고, 조조군은 많은 사상자를 냈다. 하후돈은 남은 군사들을 모아 허창으로 퇴각하였다.

이제야 깨달았습니다. 군사계선 실로 달인이십니다.

유비군은 승리하여 신야로 돌아왔다. 제갈량은 그들을 위해 연회를 베풀었다.

■ hillside 언덕의 경사면.   ■ frightened 놀란, 겁먹은.
■ daybreak 새벽, 동틀녘(= dawn).   ■ suffer heavy casualties 많은 사상자(희생자)를 내다.
■ remaining 남아 있는, 남은.   ■ withdraw 철수(후퇴)하다.
■ Heochang 허창(許昌)─지명(地名)임.   ■ be convinced 확신하다.
■ genius 친재, 달인(達人).   ■ triumphantly 의기양양하여, 승리하여.
■ hold a banquet 주연을 베풀다.

■ burning ⓐ불타는, ⓝ불탐.　■ Sinya 신야(新野)－지명(地名)임.

The Burning of Sinya

불타는 신야성(新野城)

Then, what'll we do?

I have a plan.

HaHuDon is driven to Heochang, JoJo will take revenge.

What do you have in mind?

YuPyo is seriously ill. Let's seize Hyeongju. Then, we'll be in the position to contend against JoJo.

I am deeply indebted to YuPyo, I don't have the heart to do it.

그럼 우리는 어찌 해야겠소?

제게 계책이 있습니다.

하후돈이 허창으로 쫓겨 갔으니, 조조는 복수하려 할 것입니다.

어떤 생각이신지요?

유표의 병이 심히 위중합니다. 형주를 손에 넣읍시다. 그러면, 우리는 조조와 싸울 수 있게 될 것입니다.

저는 유표에게 큰 은혜를 입고 있어, 그럴 마음이 없습니다.

■ be driven to ~로 쫓겨나다.   ■ take revenge 복수하다.
■ seriously 심하게, 심각하게.   ■ seize 빼앗다, 차지하다.
■ be in the position to + ⓥ = can + ⓥ.   ■ contend against ~와 맞서 싸우다.
■ be indebted to ~에 은혜를 입다, 신세를 지다(= be grateful to).

I would rather die than be ungrateful.

If you don't take Hyeongju now, you'll regret it.

Then, we'll talk about it some other time.

A few days later, YuPyo's condition worsened. He asked YuBi to come to Hyeongju.

My son is not bright. When I die, you can assume the govenorship of Hyeongju.

은혜를 저버리느니 차라리 죽는 편이 나으오.

지금 형주를 취하지 않으시면, 후회하시게 될 것입니다.

그럼, 이 일은 나중에 얘기토록 하시지요.

며칠 후, 유표의 병세가 악화되었다. 그는 유비를 형주로 오라고 청했다.

내 아들놈은 총명하지 못하오. 내가 죽으면, 유공이 형주 태수직을 맡아 주오.

■ would rather A than B B하느니 차라리 A하는 것이 낫다.
■ ungrateful 배은망덕한. ⑪ingratitude 배은망덕. ■ regret 후회하다.
■ condition 건강 상태. ■ worsen 악화되다.
■ bright 영리한, 똑똑한.
■ assume the governorship of Hyeongju 형주 태수직을 맡다.

I'll do my best to assist him. Please don't worry.

JoJo marched south with JoIn, JoHong and 500,000 men.

YuPyo soon passed away.

YuBi hurried back to Sinya that night.

Madam Chae and ChaeMo didn't notify YuGi and YuBi of YuPyo's death. They forged a will and designated 14-year-old YuJong as the Governor of Hyeongju.

최선을 다해 이드님을
돕겠습니다.
염려하지 마십시오.

조조가 조인, 조홍과 50만 대군을
이끌고 남으로 진군해
옵니다.

유표는 곧 세상을 떠났다.

유비는
그날 밤 신야로
서둘러 돌아왔다.

채부인과 채모는 유표의 죽음을 유기와
유비에게 알리지 않았다. 그들은 유서를
위조하여 14살의 유종을 형주 태수로
내세웠다.

■ do one's best 최선을 다하다. ■ assist = help. ■ march south 남쪽으로 진군하다.
■ JoIn 조인(曹仁)－조조의 사촌 동생으로 조조군의 전위(선봉) 대장임.
■ JoHong 조홍(曹洪)－조조의 부하 장수임. ■ pass away 돌아가시다, 죽다(= die).
■ notify A of B A에게 B를 알리다. ■ forge 위조하다.
■ will 유언장. ■ designate 지명(임명)하다.
■ YuJong 유종(有終)－형주 태수 유표의 둘째 아들.

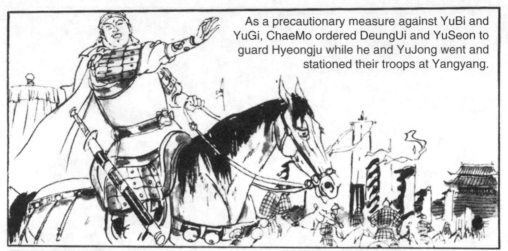

As a precautionary measure against YuBi and YuGi, ChaeMo ordered DeungUi and YuSeon to guard Hyeongju while he and YuJong went and stationed their troops at Yangyang.

JoJo's army is coming towards Yangyang.

YuJong had just arrived at Yangyang.

Being afraid of JoJo, YuJong and ChaeMo sent SongChung to surrender.

On his way back from JoJo's camp, SongChung was caught by GwanWoo who was on patrol.

유비와 유기에 대한 대비책으로, 채모는 등의(鄧義)와
유선(劉先)에게 명하여 형주를 지키게 하는 한편
그와 유종은 군사를 이끌고 양양으로 가 주둔하였다.

조조군이
양양을 향해
오고 있습니다.

유종이 막 양양성에
도착하였다.

조조에게 겁을 먹고, 유종과 채모는 투항하기 위해
송충을 보냈다.

조조의 진영으로부터
돌아오던 중, 송충은
순찰 중이던
관우에게 붙잡혔다.

■ precautionary measure 예방책.　■ DeungUi 등의(鄧義)－채모의 부하 장수임.
■ YuSeon 유선(劉先)－채모의 부하 장수임. 유비의 아들 유선(劉禪)과는 다른 인물임.
■ guard 지키다.　■ station 주둔(배치)시키다.
■ SongChung 송충(宋忠)－채모의 부하 장수임.　■ surrender 항복(투항)하다.
■ be on parol 순찰하다.

- last time 지난번.
- save one's life ~의 목숨을 구하다.
- be very grateful to ~에게 몹시 감사하다, ~에게 은혜를 입다(= be indebted to).
- seize 빼앗다.
- just then 바로 그때.
- LeeJeok 이적(李籍) - 유기(劉琦)의 심복 장수임.

먼저 번성으로
피신하는 게 좋을 듯싶소.

이적, 강하로 서둘러 돌아가시오. 큰 도련님 유기에게 군사를 준비하라 이르시오.

조인과 조홍이 이끄는 조조의 선봉대가 허저의 3천 명의 기병을 앞세우고 박망파를 공격했습니다.

예, 장군.

군사(軍師), 적들이 우리를 압박해 오고 있소.

걱정 마십시오. 조인과 조홍은 상대가 안됩니다. 그러나 곧, 번성으로 옮기는 편이 낫겠습니다.

■ vanguard 선봉대, 전위대.　■ Bakmang Hillside 박망파(博望坡).
■ HeoJeo 허저(許褚)—조조의 호위 대장임.　■ armo(u)red troops 기병대, 기병(騎兵), 기갑부대.
■ enemy 적(敵).　■ bear down on 압박하다, 위협적으로 다가오다(접근하다).
■ be no match (for) ～의 상대(적수)가 되지 못하다.
■ had better + ⓥ ～해야만 한다, ～하는 편이 낫다.
■ move 이동하다, 움직이다.

YuBi had notices put up on the city gates.

曹兵壓境・新野勿將失守。百姓宜去樊城暫避・云可自誤。

The people of Sinya, whether old or young, escaped towards Beonseong.

MiChuk, escort the master's family to Beonseong.

Yes!

유비는 성문에
방을 부쳤다.

曹兵壓境・新野

勿將失守・百姓了

去樊城暫避・石

可自误。

신야의 백성들은, 남녀노소
할 것 없이, 번성으로
피난하였다.

미축, 주군의
가족들을 번성으로
호위하게.

예!

■ notice 방(榜), 게시문, 벽보. ■ escort 호위하다.

■ at midnight 한밤중에, 자성에. ■ shoot flaming arrows 불화살을 쏘다.
■ chase 추격(추적)하다. ■ flee 달아나다, 도망치다.
■ flag 깃발, 기. ■ station 주둔(배치)하다.
■ Jakmi Hillside 작미파(鵲尾坡)－지명(地名)임. ■ confuse 혼란시키다.
■ watch 관찰하다, 살피다. ■ operation 작전 행동, 작전.
■ good news 희소식.

At noon, HeoJeo's troops reached Jakmi Hillside.

The armoured troop attacked YuBong and MiBang's camp.

MiBang leading soldiers with red flags and YuBong leading those with black flags retreated from both sides of the slope.

HeoJeo rushed to report to JoIn.

There's an ambush ahead! Stop!

정오에, 허저의 군사들이 작미피에 도착히였다.

허저의 기병들이 유봉과 미방의 진영을 공격했다.

붉은 깃발을 가진 미방의 군사들과 검은 깃발을 가진 유봉의 군사들이 작미파 양쪽에서 퇴각하였다.

허저가 조인에게 달려가 알렸다.

앞에 매복병이 있다! 멈춰라!

■ armoured troop 기마병, 기병대, 기병(騎兵). ■ YuBong 유봉(劉封)−유비의 양아들임.
■ MiBang 미방(麋芳)−유비의 처남이자 미부인의 오라비이며, 후에 관우를 배반하고 오나라에 항복하였으나, 곧 유비에게 사형을 당함.
■ flag 깃발, 기. ■ retreat 퇴각(후퇴)하다. ■ report 보고하다.
■ ambush 매복병. ■ ahead 앞쪽에, 앞에.

It's feint. Go on. I'll come with the main force.

HeoJeo returned to the front of the slope and led his troop in pursuit of the enemy.

There's not a soul here!

?

They ran into a forest.

General, there are people at the top of the hill.

■ feint 속임수. ■ go on 계속 공격하다.
■ main force 주력부대, 본대. ■ the slope 작미파(鵲尾坡)를 말함.
■ slope 경사면, 비탈. ■ in pursuit of ~를 쫓아서, ~를 추적하는.
■ enemy 적(敵). ■ a soul = a person.
■ forest 숲. ■ general 장군.
■ top of the hill 산꼭대기에.

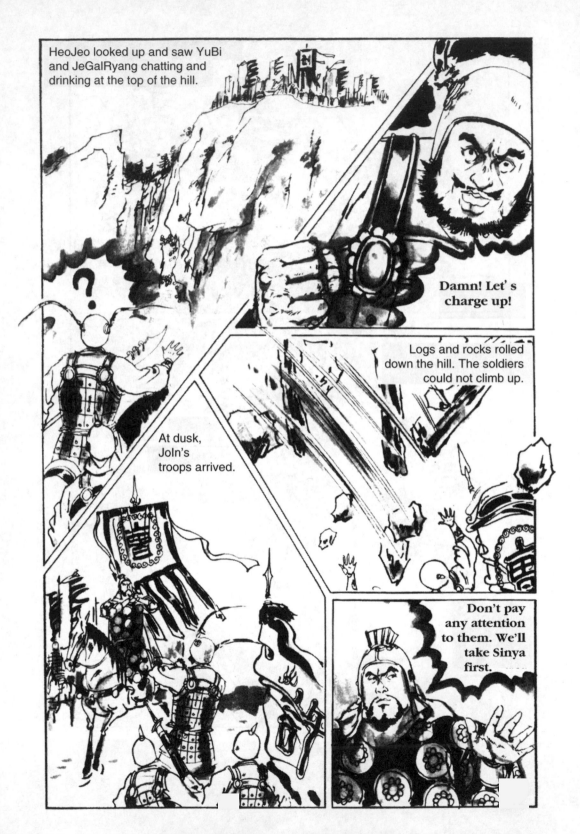

HeoJeo looked up and saw YuBi and JeGalRyang chatting and drinking at the top of the hill.

Damn! Let's charge up!

Logs and rocks rolled down the hill. The soldiers could not climb up.

At dusk, JoIn's troops arrived.

Don't pay any attention to them. We'll take Sinya first.

허저가 올려다 보니 유비와 제갈량이
산 위에서 얘기를 나누며
술을 마시고 있었다.

제기랄!
산 위로
돌격하라!

통나무와 놀넝이들이 산
아래로 굴러 떨어졌다.
군사들은 산을
오를 수가 없었다.

해질녘에,
조인의
군사들이
도착하였다.

그들은 신경쓰지
마라. 먼저
신야성을
치도록 하자.

■ chat 잡담하다. ■ damn! 빌어먹을! 제기랄!
■ charge up 위로 공격(돌격)하다. ■ logs and rocks 통나무와 바윗돌.
■ roll down 굴러 내려오다. ■ at dusk 해질녘에.
■ pay attention to --에 주의를 기울이다, 신경쓰다.

JoIn's army reached Sinya and found the city gates wide open. The town was empty.

YuBi and JeGalRyang fled with the residents. Let's rest and go after them tomorrow.

The tired soldiers started to prepare some food.

JoIn and JoHong rested in the county government office.

조인의 군사들이 신야에 도착하여
성문들이 활짝 열려 있는 것을 보았다.
성안은 텅텅 비어 있었다.

유비와 제갈량이 주민들을
데리고 도망쳤구나. 오늘은
쉬었다가 내일 그들을
추격하자.

지친 군사들이 식사
준비를 시작하였다.

조인과 조홍은 태수의
관저에서 쉬고 있었다.

■ empty 텅 빈, 비어 있는.　■ flee-fled-fled 달아나다, 도망치다.
■ resident 주민, 거주자.　■ rest 쉬다, 휴식하다.
■ go after ~을 추적(추격)하다.　■ tired 지친, 피곤한.
■ county government office 군청, 관청, 관아.　■ county 군(郡).

■ cook 요리하다. ■ meal 식사.
■ at midnight 한밤중에, 자정에. ■ break out (화재, 전쟁 등이) 발생하다(= take place).
■ be on fire 불타다, 불이나다. ■ be ablaze 불타다, 불이 활활 타오르다.
■ hurry 서두르다. ■ withdraw 철수하다.
■ mount one's horse 말에 올라타다. ■ dash out 급히 출발하다.
■ a sea of fire 불바다.

Only the east gate isn't on fire!

Let's leave the city via the east gate!

JoIn, Where are you going?

JoIn had just got out through the east gate.

In the commotion, JoJo's soldiers trampled on one another.

Run!

Run!

YuBong and MiBang also arrived.

The Jo brothers' troops fled in utter confusion.

■ be on fire 불타다.　■ via ～를 통해(서), ～을 지나서(= by way of).
■ in the commotion 대소동 속에.　■ trample on one another 서로를 짓밟다.
■ get out through the east gate 동문(東門)을 빠져나오다.
■ flee-fled-fled 달아나다, 도망치다.　■ in utter confusion 대혼란 속에서.

They arrived on the bank of the Baekha. Seeing that the river was shallow, they jumped into the river to get a drink.

Remove the dam!

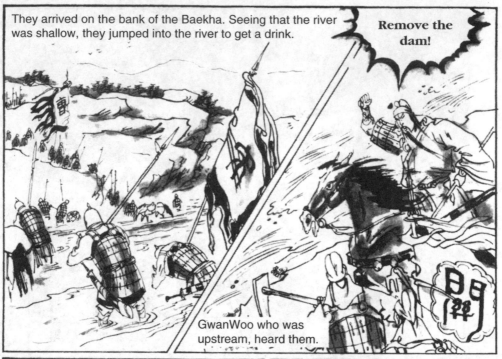

GwanWoo who was upstream, heard them.

Countless soldiers were drowned in the rushing torrent.

RUN!

GwanWoo charged towards the enemy, JoIn escaped in the direction of Bakmang Hillside.

JoIn, you can't escape!

그들은 백하 강변에 이르렀다. 강물이 얕은 것을 알고,
그들은 강물에 뛰어들어 목을 축였다.

둑을
터뜨려라!

상류에 있던 관우가
적군의 소리를 들었다.

무수히 많은 병사들이 휘몰아치는
급류에 익사하였다.

도망쳐라!

관우가 적들을 뒤쫓자, 조인은
박망파 쪽으로 달아났다.

조인 이놈,
게 섰거라!

■ bank 강둑, 제방. ■ Baekha 백하(白河) — 강(江) 이름임.
■ shallow 얕은. ■ jump into the river 강으로 뛰어들다.
■ remove the dam 둑을 제거하나. ■ upstream 강상류(江上流).
■ countless 무수히 많은 (= numerous, many). ■ be drowned 익사하다, 물에 빠져 죽다.
■ rushing torrent 급류. ■ charge 돌격(돌진)하다.
■ escape in the direction of ~방향으로 달아나다.

JoIn and his officers fled.

YuBi and JeGalRyang joined forces with GwanWoo, JangBi, JoUn and the other officers to cross the river to return to Beonseong.

조인과 그의 부장들이 달아났다.

유비와 제갈량은 관우, 장비,
조운 그리고 다른 부장들과
함께 강을 건너 번성으로
돌아왔다.

■ officer 부장, 부관.　■ flee-fled-fled 달아나다, 도망치다.
■ join forces with ~와 합세하다.　■ cross the river 강을 건너다.